Título original: *Émile veut une chauve-souris*

© Gallimard Jeunesse Giboulées, 2012
© De esta edición: Editorial Luis Vives, 2013

Edelvives Talleres Gráficos. Certificado ISO 9001
Impreso en Zaragoza, España

ISBN: 978-84-263-8933-6
Depósito legal: Z 300-2013

Emilio
quiere un murciélago

Texto: Vincent Cuvellier

Ilustración: Ronan Badel

Traducción: Diego de los Santos

EDELVIVES

Hoy...
Emilio quiere un murciélago.

Tal cual. Es así. ¡Y no hay más que hablar!
Emilio quiere un murciélago.

Uno de verdad. Que vuele por la noche
y que tenga las alas puntiagudas, los ojos negros,
las garras y los dientecillos de los murciélagos.

Y que duerma cabeza abajo.

En resumen, un murciélago.

—¡Pero, Emilio, eso es imposible!

Sí, claro que es posible.
Si Emilio quiere, es posible.

¿Y por qué no iba a ser posible?
¿Eh? ¿Por qué?

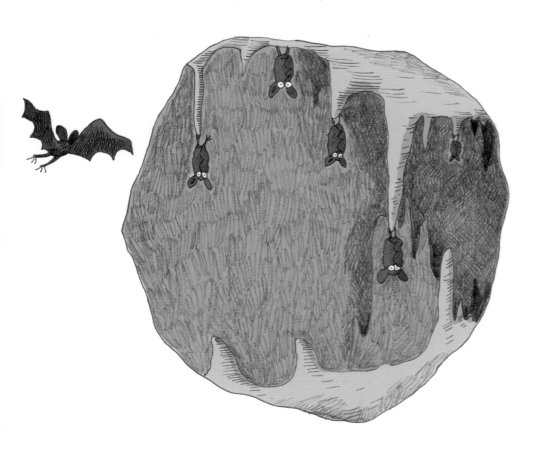

—Pues, pues, pues... bueno, porque... porque...
los murciélagos no viven en pisos, sino en grutas.

Emilio se rasca la cabeza y entorna los ojos.
Eso quiere decir que está pensando.
¿Y si todos nos fuéramos a vivir a una gruta?
¡Esa sí que es una buena idea!

—¡Pero, Emilio, aquí no hay grutas!
¡Además, ya sabes que los murciélagos
son animales nocturnos!

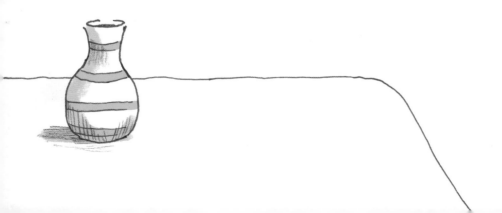

Emilio entorna los ojos y se rasca la nariz. Está pensando.
Vale, ha entendido que de la gruta es mejor olvidarse.

Pero lo de la noche tiene fácil solución.
Bastaría apagar todas las luces,
bajar las persianas
y correr las cortinas.

En resumen,
vivir a oscuras...

—¡Pero, Emilio, nos tropezaríamos con los muebles!
¡Además, ya sabes que los murciélagos comen ratoncillos!

Emilio frunce el ceño. No es verdad.
Los murciélagos no comen ratoncillos.
Él se ha informado y sabe que comen mosquitos.

¡Mosquitos! Bastaría encender todas las luces
para que los mosquitos entrasen en casa.
Así los murciélagos tendrían comida.

—¡Pero, Emilio, si encendemos todas las luces
ya no estaremos a oscuras!

¡Pfff! Emilio ya empieza a estar un poco harto...
Busca algo que responder,
pero la verdad es que se le han acabado las ideas.

—De todos modos, Emilio, no sé ni por qué me molesto
en discutir contigo. No tendremos un murciélago y punto.
Nadie tiene un murciélago en casa.
¡En todo el mundo no hay ningún niño que tenga
un murciélago en su cuarto y, si no te gusta, me da igual!

Emilio vuelve a fruncir el ceño y se cruza de brazos.
Se enfurruña. Suspira. Bueno, vale, ya lo ha entendido.
Se queda sin murciélago.
De todos modos, tampoco es para tanto;
se le ha ocurrido algo mejor.

Algo mucho mejor...